어쩌면 내 사랑은

발 행 | 2024년 08월 23일
저 자 | 유아린
펴낸이 | 한건희
펴낸곳 | 주식회사 부크크
출판사등록 | 2014.07.15(제2014-16호)
주 소 | 서울특별시 금천구 가산디지털1로 119 SK트윈타워
A동 305호
전 화 | 1670-8316
이메일 | info@bookk.co.kr

ISBN | 979-11-419-0185-1

www.bookk.co.kr

어쩌면 내 사랑은

지은이: 유아린

[목차]

4

책을 펼치며…

입 밖으로는 잘 내뱉지 못할 말들을
담고 담아 마음 속에
눌러두는 버릇이 있었습니다

그러다 언젠가
가장 사랑하던 사람이
한참을 울던 내 옆으로 와서
노트 한 권을 내밀며 말하더군요

자신이 안아주지 못할 때
자신이 내 얘기를 들어주지 못할 때엔
마음 속에 품지 말고 노트에 적어두라고

적고 적다 보니
내 속마음이 적힌 노트가
한 권 두 권 점점 쌓여갔습니다

그 사람이 곁에 없을 때에는
내 글들을 돌아보며 위로를 받았습니다

그렇게 적은 글들이 또 다른 누군가에게
위로가 될까 싶어 이렇게 모아
책을 펴냅니다

0_그래 난 원래 그런 아이였다

0_그래 난 원래 그런 아이였다

처음부터 부정적인 아이는 아니였다

그저 조금 내 속마음을
많이 감추는 아이였을 뿐

그저 조금 내 속마음을
누군가에게 털어놓는다는 것이 어려웠을 뿐

그런데 언제부터인가 부정적으로 변해갔다

원래 난 잘 웃는 아이였다

그래 난 원래 그런 아이였다

1_그게 시작이었다

1_그게 시작이었다

열 살 너무나도 어린나이이다

아니 어쩌면 어렸기에
내딛음
그것 말고는 방법이 없다고 생각했을지도

너무나도 어린나이에
너무나도 큰 상처를
가슴에 홀로 품었다

그 상처를 품고 살아가기엔
세상이 너무 버거워서
내 마지막 글을 썼다
정말 죽을 생각이었다

마지막 글을 쓰고
주변을 천천히 정리했다

눈에 띄지 않게

다행히 아무도 눈치채지 못한듯 했다

그러다 누군가 옥상에 서있던 나의
마지막 글을 발견하고
나지막한 목소리로 내게 물었다

' 죽으려고? 아플텐데 '

처음 보는 사람이었고 이상한 사람이었다
사람이 죽는다는데 웃고있다니

' 남의 일에 무슨 상관이야
내가 나 죽이겠다는데 '

그 사람은 날이 선 내 말에
미소를 지으며 날 달랬다

' 그래도 아프잖아
아직 어린데 겪지 않아도 될 일을
너무 많이 겪었구나?
내일 하루만 더 살아보는건 어때?
처음 봤지만 미소가 예쁜 나를 봐서라도? '

그 누구도 해주지 않던 장난스럽지만
마음에 와닿는 위로였다

아 어쩌면 저 위로 한마디가 없었기에
내딛음까지 생각했을까

장난스러운 말들을 건네면서
막상 떨고있는 저 손을 보니
당장은 죽을 수 없었다

그렇게 다음 날 그곳에 다시 가니
구석 한 쪽에 쭈그리고 앉아
나에게 손을 흔들었다

' 안녕ㅎㅎ
오늘도 왔네? '

그 사람은 나보다 나이가 많은듯 했다

나보다 나이가 많아보이지만
나보다 더 어린애같은 그런 남자

그 사람은 나와 같은 내딛음을
생각하고 있던
평범한 열여덟의 남학생이었다

그 사람은 나와 같은 내딛음을
생각하고 옥상에 와
나를 발견했다고 했다

자기보다 한참 어린 내가
자신과 같은 표정
자신과 같은 마음으로
옥상에 서있는걸 보니

죽는것이 무서워져 나를 말렸다고 했다

내가 죽는 것을 보면
안될 것 같았다나 뭐라나

그 사람은 매일 옥상으로 나를 찾아와
나를 달랬다

품을 내어주고
곁을 내어주었다

때론 오빠처럼
때론 동생처럼
때론 친구처럼

때로는 학교에서의 이야기를
때로는 집에서의 이야기를
때로는 좋아하는 사람의 이야기를
때로는 부모님의 이야기를

매일 이야기를 들려주며

나를 안정시키고 나를 돌봐주었다

그렇게 나와 그 사람은
서로 덕분에
아니 서로때문에
일 년이란 시간을 버텼다

죽을것만 같던 시간이 점점 지나가고
죽음을 미루고 미뤘다

그러다 갑자기 어느 날 그 사람이 오지 않았다
불안했다

2_그 사람과 나의 부정

2_그 사람과 나의 부정

왜인지 모르게 불안한 마음이 들었고

알고있는거라곤
몇 번 가본 그 사람의 집 위치가 전부였기에
무작정 찾아갔다

' 띵동 '

종소리가 울리고 잠깐의 정적
그리고 집 안에서
느릿하게 인기척이 느껴진다

' 철컥 '

처음보는 사람이다
사람인가 겉은 마른 나무처럼 죽어가고 있는
사람의 형체를 띈 무언가같다

" 여기 집 주인 어딨어요? "

짧은 질문에 돌아온 대답은 더 짧았다

" 죽었어 스스로 "

매일같이 내 죽음을 말리던 사람이
갑자기 죽었다니 현실이 뒤틀려보였다

속이 울렁거리는 와중에
그 사람의 집에 있던 사람이
갈라지는 목소리로 내게 편지 한 장을 건넸다

" 너구나 이 편지 주인 "

만난지 1년이나 됐지만 아는게 없었다
그 사람은 그렇게 잘 알지도 못하는 내게
죽는 순간에도 남겨야 할 말이 있었던가

' 상처가 많은 너에게

너는 상처도 많고 마음도 여리지만
겉은 참 강해보여

비록 나는 나 자신을 포기했지만
넌 그러지 않기를 바래

혹여나 너무 힘들면
딱 나만큼만 산 뒤에 따라와

그때가 되기 전까지
네가 믿을 수 있는 사람을 만났으면 좋겠다
말도 없이 미안해
나만큼은 절대 널 버리지 않겠다고 했는데
미안해 '

아 숨이 쉬어지지 않았다
무언가 꽉 막힌것처럼

그 사람은 열여덟
나는 겨우 열

그렇다면 아직 나는 그 사람 없이
8년을 더 살아야된다는 말인가

아 겨우 살아갈 힘이 생겼는데
나는 또 무너졌다

나의 부정은
그 사람의 갑작스런 죽음
그게 시작이었다

3_최선의 선택

3_최선의 선택

그 사람이 죽고 몇 일 뒤
그 사람의 집에서 보았던 사람들이
나를 찾아왔다

부모라고 했던가
날 붙잡고 원망을 쏟았다

" 너때문이야
너때문에 내 자식이 그렇게 된거야
네가 옆에서 자꾸 죽고싶다 죽고싶다고 하니까
아무 잘못없는 우리 애가 물든거야 "

어처구니가 없었다
겨우 열살짜리 애한테 이런 말들을 내뱉는다니

" 모르시는게 있는데
처음부터 죽고싶어했어요 그 사람
나 만나고 나서 1년을 버틴거예요
그 사람도 나도 서로때문에 버틴거라고요 "

날카로운 한마디였다

내 말에
베인건지
찔린건지

날 붙잡고 울다가
나에게 매달렸다가

자기 자식을 되돌려놓으라는 말까지

자식 잃은 부모의 모습은 너무나 망가져있었다
그 사람을 잃은 슬픔은 나 또한 컸으니

이해가 되지 않는건 아니었다

처음엔 자신있게 나때문이 아니라 말했으나
계속 날 원망하는 말에 머리가 뒤집혔다

처음엔 나때문이 아니라 자신있게 말했으나
원망을 받다보니 내 탓같았다

" 정말 저때문인가요
정말 제가 잘 버티고 있던 사람을
죽음까지 내몰았던건가요
죄송합니다
죽을죄를 지었습니다
평생 잊지 않고 죄책감 가지고 살게요 "

내 말을 듣고 그들은 더한 원망을 내뱉었고
내 정신은 망가져갔다

그 원망을 받은지 다섯달이 넘어갈때쯤
감정을 느낄 수가 없었다

더이상 슬퍼도 눈물이 나오지 않고
화가 나도 화를 낼 수가 없었다

감히 내가 그럴 자격이 없는것 같은 기분에
살아가는것만으로도 죄를 짓는 기분에
점점 망가져가는 나였다

그렇게 나는 새로운 방법을 선택했다
죄책감이 들때마다 몸에 상처를 냈다

그럼 조금 죄책감이 덜어지는 기분이었기에
내 최선의 방법이었다

4_첫사랑 뭐 비슷한거

4_첫사랑 뭐 비슷한거

2년이 지났다 그 사람이 죽은지
아직도 그 시간에 멈춰있다

이유는 모르지만 갑작스레
그 동네에서 벗어났다

이유는 모르지만 갑작스레
부모의 관심이 커졌다

이제 겨우 2년
열두살 아직 6년이나 남았다

매일 새고있다 그 사람의 죽음을

그 사람의 충고대로 아무도 믿지 않았다
아무에게도 나의 진짜 모습을 보여주지 않았다

그저 그들이 원하는대로
나의 성격을 맞춰나갔다

누군가에겐 친절하게
누군가에겐 딱딱하게

그러다 보니 사람들마다
나를 보는 시선이 달라졌다

누군가는 내게 착하다고 말하지만
누군가는 내게 나쁘다고 말했다

누군가는 나를 강하게 보았으나
누군가는 나를 약하게 보았다

그렇게 나를 지키며 살며
1년이란 시간을 복잡하게 보냈다
그러다 내가 그어놓은 선으로 누군가 다가왔다

" 안녕..? "

처음보는 남자애다
위아래로 큰 눈에 짙은 쌍커풀
긴 속눈썹에 검정색 안경

그저 그런 스타일의 낮은 목소리

관심이 안갔다면 거짓말이었다

왜인지 친구들 사이에서 잘 웃고있는 네가
뒤틀린 나는 가식으로 보였기에

' 어차피 쟤도 똑같겠지
쟤도 가식이겠지
나한테 뭐 하나 캐보려고 다가오는거겠지 '

겉으로는 다른 사람들을 대하듯
웃으며 인사를 건넸지만

속으로는 항상 웃고만 있는 그 남자애가
가식적으로 보였다

그렇게 매일 얘기를 나눴다
서로 통하는 부분이 많았고

어쩌다보니 속마음을 다 털어놓고 있었다
어쩌다보니 그 남자애를 좋아하게 되었다

이게 그 사람이 말하던
첫사랑 뭐 비슷한거
그런걸까

5_첫사랑의 끝이었다

5_첫사랑의 끝이었다

그렇게 난 그 남자애와 연애를 시작했고
나는 더 망가졌다

그 남자애는 내 생각보다
더 불안정한 아이라서

나처럼 부정당하며 살지 않았기에
내 생각을 전혀 이해하지 못했기에

서로 힘들었다
근데도 서로 사랑했다

서로 사랑했기에 버텼다

서로가 서로에게 처음이었기에
적당히 사랑하는 방법을 몰라
미치도록 사랑한 우리였다
그렇게 우리는 1년을 사랑했다

오로지 서로에게만 신경을 쓰다보니
그러다 주변 친구관계가 무너지고
그 남자애와의 관계 마저도
무너지기 직전이었다

아니 무너졌다
그 남자애에게 너를 위해서라는
말도 안되는 같잖은 핑계를 대고 이별했다

사랑하는 사람의 행동이
변하는 것을 지켜보기엔

난 너무 어렸기에
난 너무 여렸기에

그리고나서는 그 남자애의 친구가
내게 다가왔다

왜인지 모르게 내게 잘해줬고
1년이란 시간을 허무하게 만들며

나는 그 남자애의 친구와
바로 연애를 시작했다
내가 우리의 1년이란 시간을 버린것이었다
그게 첫사랑의 끝이었다

6_다시 온 뒤틀림의 연속이었던가

6_다시 온 뒤틀림의 연속이었던가

그 남자애 이후로 사귄 남자들과는
다 그리 오래가지 않았다

그저 내겐 휴식처가 필요했을뿐이고
사랑이 필요했을뿐이고

나를 온전히 받아줄 사람이 필요했을뿐
그 뿐 그 이상도 그 이하도 아니였기에

아니 어쩌면 그보다
나의 텅 빈 무언가를 채워줄 사람이
필요했을지도 모른다

모든 남자를 거부하다가도 외로운 마음에
모든 남자를 받아주었다
모든 남자에게 정색을 하다가도 외로운 마음에
모든 남자에게 웃어주었다

7_이제 2년만 더

7_이제 2년만 더

벌써 중학교를 졸업할 나이가 된 나는
오늘부로
2년만 더 버티면
죽을 수 있는 몸이 된다

당신과의 약속까지
딱 2년
그저 2년

2년밖에
누구에겐 2년이나 일 수도 있는 시간만이
내게 남았다

당신을 죽고싶게 만든 이 2년이란 시간이
도대체 무엇이길래
도대체 뭐길래

두렵다
무섭다

아니 난 버틸 수 있다
당신과의 약속을 위해
당신의 마지막 부탁을 위해

죽어도 자신만큼은 살다오라던
쓸쓸했던 당신의 마지막 부탁을 위해

나는 버텨야만 하고
나는 무슨 일이 있어도 참아야만 한다

할 수 있을거라 믿고
발을 들여놓는다

8_마지막 1년의 위기

8_마지막 1년의 위기

드디어 마지막 1년이다
1년만 더 버티면
1년만 더 견디면
더이상 이 지긋지긋한 삶에서
벗어날 수 있지만

이미 지칠대로 지친 나이기에

사실 아직 그 사람과 같은 나이가 되기까진
1년이란 시간이 더 남았다
열여덟 그 나이가 되기까지만 바라보며
억지로 버텨왔다

그 사람의 부모님께 매일같이 속죄하며
매일을 죄책감 속에서 버텨왔다

1년을 빨리 만난다해서 그 사람이
날 원망하지 않길 바라며

그때처럼 아무도 모르게 정리를 한다

조금 이기적일지라도

이번엔 그 사람처럼
웃으며 날 달래줄 사람도
아프니까 나중에 죽으라는 사람도
그 누구도 없을테니

죽는 순간엔 더 괴로웠으면 하는 마음에
칼을 높이 치켜든다

아무 생각 없이 칼을 내리꽂으려다
문득 그 사람의 목소리가 이명처럼 들려와
내 머릿속을 어지럽힌다

숨이 막히고 머리가 어지럽고
그 사람의 목소리가 듣기싫어 소리를 지른다

차갑지만 내게는 따뜻했던
이 계단에서 죽는다면

사람들이 언젠간 발견하지 않을까 싶어서

다시 한 번 칼을 잡지만 손이 떨린다

죽을 생각으로 든 칼이지만
그 사람을 만나고 싶은 마음에 든 칼이지만

혹여나 그 사람이 왜 이렇게 빨리 왔냐며
날 안아주지 않을까 두려워서

7년 전에 안긴 품이지만 아직도 생생해서
그저 그냥 그 사람에게 안기고 싶은 마음에
더이상 살아가기엔 너무 망가진 마음에
칼을 높이 치켜들었다 내리꽂는다

사실 조금 겁난다
사실 누군가 날 말려주기 바란다

7년 전 일이지만 아직 나는 그 사람 없이
살아가는 방법을 배우지 못해서

정말 남은 1년이 지나가면 죽어버릴까봐

지금 당장 죽기엔
고통이 클까 겁이 난다

지금 당장 죽지 않기엔
살아가는 고통이 너무 크다

누군가 나를 붙잡아줬으면 하는 마음이다

날 붙잡고 정신 차리라고

날 붙잡고 그냥 울어주고

그냥 그렇게라도 날 말리면
내가 죽음을 조금 더 미룰까봐

앉아있는 계단은 차갑고
나의 감정은 얼어붙어서

이곳은 어둡고 칼은 빛나서
눈물은 끝없이 투명하고 피는 검붉어서

죽음에 가까워질수록
누군가 날 안아주길 바래서

지금 이 순간을 버티면
또 다시 전처럼 살아갈까
아니면 또 다시 죽음을 택할까

7년 전 그때처럼 마지막 글을 쓴다
이게 내 마지막 글일까 싶다가도
누군가 이 글을 찢어줬으면

9_당신이 날 싫어할까봐

9_당신이 날 싫어할까봐

아 아직 1년이란 시간이 남았는데

더이상은 버틸 자신이 없어
마지막 글을 쓴다

마지막 글을 쓰기까지 어떤 일이 있었는지
당신이 죽기가지 어떤 일이 있었는지

모두 하나하나 세심하게
모두 빠짐없이 적어냈고

이제 나를 말릴 사람은 없다

이제 나를 말려줄 사람은 없다

옥상에서 내려다본 땅은
마치 내가 하늘에 있는 듯한
기분으로 만들어줬고

옥상에서 올려다본 하늘은
너무 높기만 해서
당신이 생각 날 지경이었다

옥상에서 하늘을 올려다보자
하늘로 가고싶은 마음에 손을 하늘로 뻗으며
천천히 앞으로 발을 내딛는다

옥상에서 땅을 내려다보자
땅을 걷고싶다는 마음에 눈을 질끈 감으며
천천히 앞으로 발을 내딛는다

너무 빨리 왔다며
당신이 날 싫어할까 걱정되었지만
1년이란 시간을 버틸 자신이 없기에

당신의 사랑이 그리워 미칠 것만 같았던
나는 이제 생을 마감하려 한다

오빠 많이 보고싶었어
오빠 많이 그리웠어

.

.

.

이제 보러갈게

10_그 사람에게 전하는 편지

10_그 사람에게 전하는 편지

웃음이 참 예뻤던 그 사람에게

나는 잘 버텨내고 있어
당신만큼은 아니지만 잠깐이나마
내게 소중해진 사람들도 있었어

당신은 절대 날 버리지 않겠다고
당신은 절대 날 포기하지 않겠다고 했었잖아

당신은 날 버렸지만
그래서 참 밉지만

근데도 거기서만큼은
당신이 아프지 않기를 바래 나는

내가 그리워했던만큼만 그리워하길 바라고
나만큼만 후회하길 바라는데
나만큼 아프진 않았으면 좋겠고
나만큼 울진 않았으면 좋겠어

이거 어쩌면 사랑 아닐까?

우리 어쩌면 사랑을 했던건 아닐까?

왜 날 두고 떠났어?

매일같이 내게 품을 내주며 약속했었잖아
매일같이 내 손을 잡고 약속했었잖아

매일 당신 품에서 잠드는게 좋았어
매일 당신 손을 잡고 잠드는게 좋았어

매일같이 내게만 품을 내주는 당신이 따뜻했어
매일같이 내게만 보여주는 웃음이 예뻤어

당신만큼은 날 버리지 않을거라 생각했는데

왜 날 혼자됐어?

당신의 죽음이 정말 나때문이야?

정말 내가 당신을 죽음으로 물들인거야?

난 아직 당신 없이
살아가는 방법을 몰라

난 아직 당신 없이
세상에 맞서는 방법을 몰라

난 아직 당신 없이
다른이를 사랑하는 방법을 몰라

난 아직 당신 없이
나를 사랑하는 방법을 몰라

난 아직 당신 없이
죽음을 미루는 방법을 몰라

난 아직 당신 없이 살지못해
당신이 그리워 미칠것 같아

책을 마치며…

오빠를 위한 책이야
오빠와 이름이 같은 사람을 만났는데

그 사람도 오빠처럼 좋은 사람이야

그 곳에서는 편안할 사람들을 위해